好宝宝
睡前分享

幼狮童书

睡前小道理

编著 / 幼狮文化　　插图 / 肖猷洪工作室

浙江少年儿童出版社

睡前十分钟
共享温馨的亲子阅读时光

夜幕降临，周围渐渐地安静下来。嬉戏了一天的小宝贝，此刻正乖巧地依偎在爸爸妈妈的身边。不过，他那颗好奇的心并没有停歇，依然渴望了解世界，寻找好玩、新奇的事物。

睡前是孩子一天中最佳的记忆时间。家长可以和孩子一起享受温馨的亲子阅读时光，让孩子在听故事的过程中，发展想象、记忆、语言表达等多种能力，培养健全的人格和良好的品质，学会勇敢、包容、善良以及承担责任，并逐渐养成爱读书的好习惯。

轻轻翻开书本，用温柔的声音给孩子讲一个有趣的小故事吧！跟随文字的足迹，一步一步，走进快乐的阅读世界。

《睡前小故事》节奏舒缓，甜美温暖，有趣生动。故事里有用枫叶做成的漂亮小红帽，有神奇好玩、会变化的礼物，还有一袋香甜的饼干……甜甜的故事，将给宝贝带去一个个甜甜的梦。

《睡前小道理》优美的语言里，蕴涵着丰富的小道理：自信、谦虚、友爱……孩子不仅能聆听生动有趣的故事，结识故事中可爱的小动物，还能从故事中领悟道理，变得越来越明理。

《睡前小问号》中有许多千奇百怪的问题：为什么笑也会流眼泪？小海马是海马爸爸生下来的吗？别的星星上也有人吗？香蕉为什么是弯的……这些问题的解答生动浅显，让孩子的眼界更开阔！

《睡前小秘密》收录了许多孩子想知道的小秘密：宝宝是怎么钻进妈妈肚子的？爸爸不要我了吗？为什么老师不给我五角星……这些小秘密用幽默风趣的语言揭示了真相，让孩子更科学地了解自身的秘密。

每天睡前十分钟，和孩子分享一个有趣的小故事，享受温馨的亲子时光，让你和孩子变得更亲密。

每天睡前十分钟，为孩子营造一段快乐的学习时光，让孩子在愉快的阅读中潜移默化地学习知识，越变越聪明。

▶目录

小熊买西瓜

xióng mā ma yǒu liǎng gè ér zi　　dà de jiào dà lǎn　xiǎo de jiào xiǎo
熊妈妈有两个儿子，大的叫大懒，小的叫小

chán　tiān qì hěn rè　xióng mā ma ràng tā men qù mǎi xī guā
馋。天气很热，熊妈妈让他们去买西瓜。

dà lǎn hé xiǎo chán zhēng le bàn tiān　shéi yě
大懒和小馋争了半天，谁也

bù yuàn yì qù　xióng mā ma shuō　　nǐ men yī qǐ
不愿意去。熊妈妈说："你们一起

qù　shéi bù qù shéi jiù méi yǒu xī guā chī
去，谁不去谁就没有西瓜吃！"

xiōng dì liǎ zhǐ hǎo yī qǐ qù shān
兄弟俩只好一起去山

yáng dà shěn de guā dì li mǎi xī guā
羊大婶的瓜地里买西瓜。

shān yáng dà
山羊大

shěn gěi tā men tiāo
婶给他们挑

了一个又大又甜的西瓜。这时，兄弟俩又为该谁抱着大西瓜回家吵了起来。小馋主意多，对大懒说：“我们把西瓜滚回去吧！”

大懒很赞成，兄弟俩就一路滚着西瓜回家了。

回到家后，兄弟俩把西瓜搬到桌上。熊妈妈一看，呀，西瓜皮都裂开了，红红的汁水流得到处都是。大懒和小馋后悔极了：真不应该把西瓜放在地上滚啊！

妈妈的话 要做好一件事情，偷懒可不行哦。

 捣蛋 的小·老虎

xiǎo lǎo hǔ kě tiáo pí la　　zài jiā li ài dǎo dàn　 zài xué xiào
小老虎可调皮啦！在家里爱捣蛋，在学校

li zǒng ài zhuō nòng xiǎo huǒ bàn
里总爱捉弄小伙伴。

zhè yī tiān　 xiǎo lǎo hǔ tiáo pí de
这一天，小老虎调皮的

lǎo máo bìng yòu fàn le　　tā chèn dà jiā
老毛病又犯了。他趁大家

wǔ xiū de shí hou　　bǎ xiǎo tù zi
午休的时候，把小兔子

de cháng ěr duo dǎ le yī gè
的长耳朵打了一个

jié　　yòu jiǎn diào
结，又剪掉

le xiǎo māo de hú
了小猫的胡

zi　 hái nòng zāng le
子，还弄脏了

4

xiǎo hú li de xīn qún zi
小狐狸的新裙子……

xiǎo tù zi xiǎo māo xiǎo hú li kū de kū hǎn de hǎn jiào shì
小兔子、小猫、小狐狸哭的哭，喊的喊，教室

li yī piàn hùn luàn xiǎo lǎo hǔ què zài yī páng tōu xiào
里一片混乱，小老虎却在一旁偷笑。

dì èr tiān yòu dào le wǔ xiū shí jiān xiǎo lǎo hǔ qiāo qiāo xiàng xiǎo
第二天，又到了午休时间，小老虎悄悄向小

tù zi zǒu qù zài xiǎo tù zi de zuò wèi shang fàng le yī kē cāng ěr zhǒng zi
兔子走去，在小兔子的座位上放了一颗苍耳种子。

tā gāng xiǎng liū huí zì jǐ de zuò wèi tū rán wā de
他刚想溜回自己的座位，突然"哇"的

yī shēng dà kū qǐ lái
一声大哭起来。

yuán lái cāng ěr diào zài
原来苍耳掉在

le dì shang xiǎo lǎo hǔ bù
了地上，小老虎不

xiǎo xīn cǎi dào le téng de
小心踩到了，疼得

tā bào jiǎo luàn tiào ne
他抱脚乱跳呢！

妈妈的话 在幼儿园要遵守纪律，和
伙伴们友好相处，这样，才能成为一
个受欢迎的人。

5

森林医生 啄木鸟

yī dà qīng zǎo zhuó mù niǎo jiù fēi dào yī kē lǎo
一大清早,啄木鸟就飞到一棵老
shù shang yòng jiān jiān de zuǐ ba zài shù gàn shang dǔ dǔ dǔ
树上,用尖尖的嘴巴在树干上"笃笃笃"
de zhuó le qǐ lái
地啄了起来。

xǐ què gāng hǎo cóng zhè lǐ fēi guò kàn jiàn le zhuó mù
喜鹊刚好从这里飞过,看见了啄木
niǎo jīng jiào dào āi yā nǐ zhè yàng zhuó shù yé ye
鸟,惊叫道:"哎呀,你这样啄树爷爷,
tā huì hěn téng de nǐ zhēn shì yī gè dà huài dàn
他会很疼的!你真是一个大坏蛋!"

zhuó mù niǎo bù lǐ xǐ què jì xù zhuó shù gàn
啄木鸟不理喜鹊,继续啄树干。

树爷爷开口了："喜鹊啊，你误会啄木鸟了，她是来给我治病的。我身体里有小虫子，疼得难受，她正打算用长嘴巴把虫子啄出来呢。"

这时候，啄木鸟从老树的身上啄出了一条又肥又大的虫子。喜鹊看见了，知道自己错怪了啄木鸟，连忙向啄木鸟道歉。

从此，这两只小鸟成了好朋友，一起在森林里消灭害虫。

妈妈的话 如果不小心错怪了别人，要真诚地向对方道歉哦。这样别人也一定会原谅你的。

7

小山猪 卖雨伞

xiǎo shān zhū shì yī wèi yǔ sǎn shāng měi dāng xià
小山猪是一位雨伞商。每当下

yǔ de shí hou tā jiù fēi cháng gāo xìng yīn wèi kě yǐ
雨的时候，他就非常高兴，因为可以

mài chū hěn duō yǔ sǎn
卖出很多雨伞。

jīn tiān tū rán xià qǐ le yǔ xiǎo shān zhū de
今天突然下起了雨，小山猪的

shēng yi fēi cháng hǎo dà xiàng lái
生意非常好。大象来

le mǎi zǒu le yī bǎ dà yǔ
了，买走了一把大雨

sǎn xiǎo lǎo shǔ lái le mǎi
伞；小老鼠来了，买

zǒu le yī bǎ xiǎo yǔ sǎn huā
走了一把小雨伞；花

bào lái le mǎi zǒu le yī
豹来了，买走了一

8

把花斑雨伞；斑马来了，买走了一把条纹雨伞……最后，只剩下一把红色的雨伞了。

这时，青蛙蹦蹦跳跳地过来了，小山猪连忙上前向他推销雨伞。可是，青蛙说："我不要雨伞，我最喜欢淋雨了。呱呱！"

小山猪很失望。不过他很快又高兴起来了，因为这把雨伞他可以自己用啊！

妈妈的话 遇到不开心的事情，换个角度去想，你会发现事情并没有想象中那么糟糕。

9

小熊干活

yī tiān xióng mā ma ràng xiǎo xióng qù dǎ shuǐ xiǎo xióng ná zhe yī
一天，熊妈妈让小熊去打水。小熊拿着一

zhī pò shuǐ tǒng qù hé biān dǎ le yī tǒng shuǐ tí zhe wǎng huí pǎo xiǎo
只破水桶去河边打了一桶水，提着往回跑。小

xǐ què kàn jiàn le shuō nǐ de shuǐ tǒng pò le yào bǔ hǎo cái néng
喜鹊看见了，说："你的水桶破了，要补好才能

yòng xiǎo xióng bù tīng jié guǒ hái méi pǎo dào jiā shuǐ jiù lòu guāng le
用。"小熊不听，结果还没跑到家，水就漏光了。

xióng mā ma ràng xiǎo xióng dào dì li shōu yù mǐ xiǎo xióng lái dào
熊妈妈让小熊到地里收玉米。小熊来到

dì li kāi shǐ bāi yù mǐ xiǎo xǐ què duì tā shuō
地里开始掰玉米。小喜鹊对他说：

yù mǐ děi yòng kǒu dai zhuāng xiǎo xióng bù tīng
"玉米得用口袋装。"小熊不听，

bāi le yù mǐ jiù jiā
掰了玉米就夹

zài yè xià kě jiā dì
在腋下，可夹第

èr gēn de shí hou dì yī
二根的时候，第一

gēn jiù diào le bāi le yī
根就掉了。掰了一

tiān xiǎo xióng zhǐ jiā le liǎng gēn
天，小熊只夹了两根

yù mǐ huí jiā
玉米回家。

xióng mā ma ràng xiǎo xióng bǎ dì li
熊妈妈让小熊把地里

de dào zi bān huí jiā xiǎo xióng lái dào dì li
的稻子搬回家。小熊来到地里，

bǎ dào zi bào shàng tuō chē jiù zǒu xiǎo xǐ què shuō
把稻子抱上拖车就走。小喜鹊说：

dào zi yào kǔn hǎo bù rán huì diào de xiǎo xióng bù tīng
"稻子要捆好，不然会掉的。"小熊不听，

děng huí dào jiā yī kàn dào zi quán zài lù shang diào guāng le
等回到家一看，稻子全在路上掉光了。

🐻 **妈妈的话** 我们应该虚心接受别人的意见，这样才能把事情做得更好。

11

三个好朋友

huā yuán li yǒu sān zhī hú dié　　yī zhī hóng hú dié　　yī zhī
花园里有三只蝴蝶：一只红蝴蝶，一只

huáng hú dié　　yī zhī bái hú dié　　sān gè hǎo péng you tiān tiān dōu zài yī qǐ
黄蝴蝶，一只白蝴蝶。三个好朋友天天都在一起

wán　　fēi cháng kuài lè
玩，非常快乐。

yī tiān　　tā men zhèng wán de gāo xìng　　tū rán xià qǐ le yǔ　　sān
一天，他们正玩得高兴，突然下起了雨。三

zhī hú dié dōu bèi yǔ lín shī le　　dòng de hún shēn fā dǒu　　tā men xiǎng fēi
只蝴蝶都被雨淋湿了，冻得浑身发抖。他们想飞

dào hóng huā nà lǐ bì yǔ　　kě hóng huā shuō　　wǒ zhǐ néng yāo qǐng hóng hú dié
到红花那里避雨，可红花说："我只能邀请红蝴蝶

jìn lái
进来。"

sān gè hǎo péng you yī qǐ yáo yáo tóu wǒ men shì hǎo péng you yī
三个好朋友一起摇摇头:"我们是好朋友,一

kuàir lái yě yī kuàir zǒu
块儿来,也一块儿走。"

tā men yòu fēi dào huáng huā hé bái huā nà lǐ qù bì yǔ kě huáng huā
他们又飞到黄花和白花那里去避雨,可黄花

zhǐ yào huáng hú dié jìn qù bái huā zhǐ kěn liú xià bái hú dié zhè sān gè
只要黄蝴蝶进去,白花只肯留下白蝴蝶。这三个

hǎo péng you yáo yáo tóu fēi zǒu le
好朋友摇摇头,飞走了。

tài yáng gōng gong kàn jiàn le lián máng bǎ wū yún gǎn zǒu ràng yǔ tíng
太阳公公看见了,连忙把乌云赶走,让雨停

le sān gè hǎo péng you yòu néng yī qǐ zài huā cóng zhōng tiào wǔ le
了。三个好朋友又能一起在花丛中跳舞了。

妈妈的话 遇到困难也不离开朋友,这才是真正的友谊。

13

蘑菇桌

xiǎo bái tù　xiǎo sōng shǔ　xiǎo hú li　xiǎo hóu zi hé xiǎo cì wei zài
小白兔、小松鼠、小狐狸、小猴子和小刺猬在

sēn lín li fā xiàn le yī zhāng mó gu zhuō　dōu zhǔn bèi zài zhè lǐ chī wǔ fàn
森林里发现了一张蘑菇桌，都准备在这里吃午饭。

dào le chī wǔ fàn de shí hou　wǔ gè xiǎo huǒ bàn lái le　dōu shuō
到了吃午饭的时候，五个小伙伴来了，都说

shì zì jǐ zuì xiān fā xiàn zhè zhāng mó gu zhuō de　xiǎo bái tù　xiǎo sōng shǔ
是自己最先发现这张蘑菇桌的，小白兔、小松鼠、

xiǎo hú li hé xiǎo hóu zi hái qiǎng xiān pǎo dào mó gu zhuō qián zuò xià le　xiǎo
小狐狸和小猴子还抢先跑到蘑菇桌前坐下了。小

刺猬一看，没自己的位置，就气得跳上蘑菇桌，狠狠地踩了一脚，把蘑菇桌踩了个稀巴烂。

"其实，我们挤一挤，就有小刺猬的位置了。"小白兔说。

五个小伙伴都认识到自己的错误，相互道了歉。这时，奇怪的事情发生了，蘑菇桌恢复了原来的样子。

五个小伙伴都很高兴，他们围坐在蘑菇桌旁吃起了午餐，还有说有笑，好开心啊！

妈妈的话 友好相处会产生神奇的力量。如果你能友善地对待身边的人，也会有奇迹发生哦。

小熊送鱼

xióng mā ma dài zhe xiǎo xióng zài hé li zhuō le xǔ duō yú
熊妈妈带着小熊在河里捉了许多鱼。

tā duì xiǎo xióng shuō zhè me duō yú wǒ men yě chī bù wán nǐ
她对小熊说："这么多鱼我们也吃不完，你

ná yī xiē sòng gěi wǒ men de péng you
拿一些送给我们的朋友……"

xióng mā ma de huà hái méi yǒu shuō
熊妈妈的话还没有说

wán xiǎo xióng biàn tí qǐ lán zi chū mén le
完，小熊便提起篮子出门了。

yīn wèi tā zǎo jiù xiǎng chū qù
因为他早就想出去

wán le
玩了！

xiǎo xióng zhǎo dào
小熊找到

xiǎo sōng shǔ shuō   sōng shǔ dì di   zhè xiē yú sòng gěi nǐ chī ba   sōng
小松鼠，说："松鼠弟弟，这些鱼送给你吃吧！"松

shǔ pá shàng shù shuō   wǒ men chī sōng guǒ   bù chī yú
鼠爬上树说："我们吃松果，不吃鱼。"

　　　　xiǎo xióng yòu qù zhǎo le xióng māo ā yí   shān yáng bó bo   hóu zi shū
　　小熊又去找了熊猫阿姨、山羊伯伯、猴子叔

shu   kě dà jiā dōu shuō bù chī yú
叔……可大家都说不吃鱼。

　　　zuì hòu xiǎo xióng zhǐ hǎo tí zhe yī lán zi yú huí jiā le   xióng mā
　　最后，小熊只好提着一篮子鱼回家了。熊妈

ma shuō   hái zi shéi ràng nǐ gāng cái méi tīng wán wǒ de huà jiù chū qù ne
妈说："孩子，谁让你刚才没听完我的话就出去呢？

wǒ shì xiǎng jiào nǐ sòng gěi xiǎo māo   tā zuì xǐ
我是想叫你送给小猫，他最喜

huan chī yú le   xiǎo xióng tīng le   gǎn
欢吃鱼了。"小熊听了，赶

jǐn tí zhe lán zi   qù gěi xiǎo
紧提着篮子，去给小

māo sòng yú le
猫送鱼了。

妈妈的话 耐心把话听完，
弄清楚了再去做，这样才能
把事情做好。

两只  棉手套

dōng tiān kě zhēn lěng ya　　é máo bān de xuě huā fēn fēn yáng yáng de piāo
冬天可真冷呀，鹅毛般的雪花纷纷扬扬地飘

luò xià lái　　sēn lín li yǒu zhī tù mā ma yào shēng xiǎo bǎo bǎo le　　dàn tā
落下来。森林里有只兔妈妈要生小宝宝了，但她

zhǎo bù dào wēn nuǎn de wō　　tù mā ma dān xīn de xiǎng　　　āi
找不到温暖的窝。兔妈妈担心地想：唉，

gāi dào shén me dì fang qù shēng xiǎo bǎo bǎo ne
该到什么地方去生小宝宝呢？

hū rán　　tù mā ma zài xuě dì li
忽然，兔妈妈在雪地里

fā xiàn le yī zhī mián shǒu tào　　yú shì mǎ
发现了一只棉手套，于是马

shàng zuān jìn qù　　shēng xià le
上钻进去，生下了

18

一窝小宝宝。兔爸爸没有地方躲，只好站在雪地里，守着兔妈妈和兔宝宝。

丢了手套的大猩猩回来找手套时，发现了这窝兔宝宝，还有被冻坏了的兔爸爸。他轻轻地摸了摸雪地里的棉手套，不但没有拿走，还脱下另一只棉手套，让兔爸爸也钻了进去。

看着幸福的兔子一家，大猩猩一边搓着冻红了的双手，一边开心地笑了。

 **妈妈的话** 我们应力所能及地帮助需要我们帮助的人。

19

胡萝卜回来了

xiǎo bái tù zài xuě dì li zhǎo dào le yī gēn hú luó bo tā xiǎng
小白兔在雪地里找到了一根胡萝卜。她想：

tiān zhè me lěng xiǎo hóu yī dìng zhǎo bù dào chī de yú shì xiǎo bái tù
天这么冷，小猴一定找不到吃的。于是，小白兔

qiāo qiāo de bǎ hú luó bo fàng zài le xiǎo hóu jiā mén kǒu
悄悄地把胡萝卜放在了小猴家门口。

xiǎo hóu huí dào jiā kàn dào hú luó bo xīn xiǎng
小猴回到家看到胡萝卜，心想：

xiǎo lù mā ma bù zài jiā xiǎo lù yī dìng è huài le
小鹿妈妈不在家，小鹿一定饿坏了。

tā qiāo qiāo de bǎ hú luó bo fàng zài le xiǎo
他悄悄地把胡萝卜放在了小

lù jiā de chuāng tái shang
鹿家的窗台上。

20

小鹿发现了
胡萝卜，想起好
朋友小熊昨天说想
喝胡萝卜汤，就决定把它送给小熊。
于是他悄悄地把胡萝卜放在了小熊家门前。
小熊开门时，发现了胡萝卜，心想：小白兔最
喜欢吃胡萝卜了！于是他拿着胡萝卜去找小白
兔。小熊推开小白兔家的门，发现小白兔睡着
了，便把胡萝卜放在她床边。
小白兔醒来，看见了胡萝卜，惊讶地说：
"胡萝卜怎么又回来了？"

妈妈的话 我们应该懂得为别人着想，这样你会有越来越多的朋友！

21

特别的"帽子"

长颈鹿有四只可爱的小靴子。可是有一天，他不小心弄丢了一只，他到处找，直到天黑也没找到。

小山羊捡到了这只靴子，心想：象大哥每天光着脚，送给他吧。可是象大哥腿太粗，穿不进去，就说："这靴子没用，扔了吧。"

兔子听见了，说："别扔，它可以做'烟囱'！而且这'烟囱'有特别的用处。"说完就拿回家，把靴子放在了屋顶上。

第二天，长颈鹿还在找靴子，忽然看到兔子家屋顶上有一个奇怪的"烟囱"，高兴起来："那不是我的小靴子吗？"

长颈鹿找到他的小靴子了。原来，这"烟囱"的特别用处就是方便失主找到它呢！

妈妈的话 捡到东西应归还失主，要做一个有诚信的孩子。

23

小狗学本领

猫妈妈教小猫捉老鼠。小狗看见了,说:
"猫阿姨,你也教我捉老鼠,好吗?"猫妈妈说:
"好啊,你跟小猫一起学吧。"

刚开始,小狗和小猫一起学跑步。
小狗跑得很快,小猫根本追不上他。
接下来,猫妈妈教他们闻东西。这
下小狗更厉害了,小猫藏在
哪儿他都能找到。

小狗心想：猫妈妈的本领也不怎么样嘛，这些我本来就会。所以，他就自顾自去玩了。

过了些日子，小狗在树林里遇到了小猫。他看到小猫"噌"的一下就爬上了树，非常羡慕。小猫说："这是你走了之后妈妈教我的。"

小狗后悔极了，他到现在还不会爬树呢！

妈妈的话 谦虚才能学好本领。

25

小羊过桥

一天，小羊威威准备出门去看望河
对岸的朋友，小羊卡卡也准备去河对岸
吃青草。威威和卡卡在一座独木桥上
相遇了。独木桥很窄，只能让他们其中
一个先过去。可是，两只小羊看着对方，
谁也不肯退回去。

威威不耐烦地对卡卡说："快让开，

让我先过桥。""不行！为什么是我让，不是你让？我看应该是你退回去。"卡卡怒气冲冲地喊着。

就这样，两只小羊在独木桥上吵了起来。他们越吵越凶，还互相用角顶对方。你顶我，我顶你，"扑通"一声，两只小羊都掉进河里了！

妈妈的话 我们要学会互相谦让，争吵不能解决问题。

27

不服气的花瓣

公园里开满了美丽的玫瑰花，其中有一朵又大又红，特别漂亮，蜜蜂在上面唱歌，蝴蝶在上面跳舞。他们都夸赞说："看，多么漂亮的花！"

这朵花上有一片花瓣听了很不服气，她想：花朵有什么了不起的，没有我们花瓣，她能那么漂亮吗？凭什么只夸奖她？

这时候一阵风吹过来，

zhè piàn huā bàn jiù
这片花瓣就

lí kāi huā duǒ
离开花朵，

suí zhe fēng piāo dào le dì shang
随着风飘到了地上。

yī tiān guò qù le méi
一天过去了，没

yǒu rén lái lǐ huì zhè piàn huā bàn
有人来理会这片花瓣。

liǎng tiān guò qù le huā bàn kāi shǐ
两天过去了，花瓣开始

gān kū biàn juǎn
干枯、变卷。

sān tiān guò qù le huā bàn biàn de gèng qīng le yī zhèn fēng chuī lái
三天过去了，花瓣变得更轻了。一阵风吹来，

tā bèi chuī jìn le lā jī duī li
她被吹进了垃圾堆里。

zhī tóu shang de huā yī jiù kāi fàng zhe hái shi nà me měi lì mì
枝头上的花依旧开放着，还是那么美丽。蜜

fēng zhào yàng qù chàng gē hú dié zhào yàng qù tiào wǔ
蜂照样去唱歌，蝴蝶照样去跳舞。

妈妈的话 花儿的美是大家的功劳，而不是其中某一片花瓣的功劳。

谁扔的垃圾

小狗是城市卫生管理员。这天，他发现一栋大楼下面有很多垃圾，都是一些香蕉皮、西瓜皮。

小狗看见小公鸡在附近，便过去问："那些果皮是你扔的吗？"小公鸡说："先生，我只吃粮食和虫子，不吃瓜果。"

小狗又问了住一楼的小蜜蜂、住二楼的啄木鸟，发现都不是他们扔的。

他接着来到三楼，这里住着刚搬来的猴子一家。小狗敲了敲门，猴妈妈出来开门，小狗问："下面的果皮是你们扔的吗？"猴妈妈惭愧地说："对不起，是我的孩子扔的。今后，我会好好儿教育他的。"说完，猴妈妈带着小猴去清理那些果皮了。

现在，这个城市又变得整洁、美观了。

妈妈的话 保持周围环境清洁、卫生，我们才能健康、快乐地生活。

31

啄木鸟  小树

zhuó mù niǎo shì sēn lín li de yī shēng　tā měi tiān dōu máng zhe gěi
啄木鸟是森林里的医生,他每天都忙着给

shēng bìng de shù zhì bìng
生病的树治病。

yī tiān　zhuó mù niǎo fā xiàn yī kē xiǎo shù shang yǒu　gè xiǎo dòng
一天,啄木鸟发现一棵小树上有个小洞,

dòng hěn shēn　lǐ miàn hái zhù zhe yī tiáo chóng zi
洞很深,里面还住着一条虫子。

zhuó mù niǎo bǎ tā nà yòu jiān yòu cháng
啄木鸟把他那又尖又长

de zuǐ shēn jìn xiǎo dòng　xiǎng bǎ chóng zi zhuā chū
的嘴伸进小洞,想把虫子抓出

lái　tā gāng qīng qīng yī zhuó　xiǎo shù jiù jiào
来。他刚轻轻一啄,小树就叫

qǐ lái　téng a　téng a　nǐ de zhēn dǎ de wǒ
起来:"疼啊,疼啊,你的针打得我

32

好疼，我不要你看病了。"小树怎么也不愿让啄木鸟给他治病，啄木鸟只好飞走了。

时间一天一天过去，虫子越长越多，小树的身体也越来越差。他垂着头，无精打采，叶子一片一片往下掉。

啄木鸟又飞来了，这次小树主动请啄木鸟给自己治病。啄木鸟啄开树皮，从小树身上抓出了一条又一条害虫。虫子没有了，小树很快就恢复了健康。

妈妈的话 生病了就要打针吃药，如果怕疼不肯打针，怕苦不肯吃药，病情会越来越严重哦。

爱面子的小山羊

小山羊不小心被猎人抓住了。老鼠看见他被拴在了树下，说："我咬断绳子，你趁机逃跑吧。"

小山羊想：老鼠个子这么小，要他帮忙，被其他动物知道的话多没面子啊！于是他一口拒绝了。

傍晚，猎人把小山羊牵回了家，然后开始磨刀。小山羊害怕极了，用力挣脱绳子朝山上跑去。

他拼命地
跑,路上摔
了几跤,腿受
伤了,血流了出来。

小猴遇见了小山
羊,喊道:"你流了好多血,
我带你去看医生!"

小山羊想:小猴话多,会把我的狼狈样子告
诉别人的。于是他说:"不用,我自己能治。"说
完,跑进一个山洞里躲了起来。最后,小山羊因
为流血太多,晕倒了。

妈妈的话 遇到困难的时候,接受别人的帮助并不丢脸,因为每个人都会有
做不了的事情。

爱夸口的  青蛙

sēn lín li yǒu yī gè hú hú li zhù zhe yī zhī qīng wā zhè zhī
森林里有一个湖，湖里住着一只青蛙。这只

qīng wā cóng lái méi yǒu jiàn guo bié de dòng wù yī zhí yǐ wéi zì jǐ jiù shì
青蛙从来没有见过别的动物，一直以为自己就是

shì jiè shang zuì dà de dòng wù
世界上最大的动物。

màn màn de qīng wā zhǎng dà le hái
慢慢地，青蛙长大了，还

dāng le mā ma tā cháng cháng duì xiǎo qīng
当了妈妈。她常常对小青

wā shuō wǒ shì shì jiè shang zuì gāo
蛙说："我是世界上最高

dà de dòng wù hái zi men
大的动物。"孩子们

都相信她的话。

有一天，两只小青蛙去湖边玩，看见一头水牛。他们觉得很吃惊，就跑回去喊妈妈："妈妈，妈妈，快来看，我们看到了比你大得多的动物。"

青蛙妈妈说："肯定是你们看花眼了。妈妈就是世界上最高大的动物。"

小青蛙把妈妈带到湖边。

青蛙妈妈看见了水牛，吃惊地说："天哪，世界上居然有这么大的动物！"

妈妈的话 多看书多旅游，增长见识，才不至于变成目光短浅的井底之蛙。

37

想飞的乌龟

wū guī shēng huó zài chí táng li　tā zuì dà de xīn yuàn jiù
乌龟生活在池塘里,他最大的心愿就

shì néng fēi shàng tiān kōng cóng gāo chù kàn kàn qí tā dì fang shì shén
是能飞上天空,从高处看看其他地方是什

me yàng zi de
么样子的。

yī tiān　wū guī kàn dào yī qún dà yàn
一天,乌龟看到一群大雁

zài zhǎo zé dì li zhǎo dōng xi chī　jiù xiào mī
在沼泽地里找东西吃,就笑眯

mī de zǒu shàng qián shuō　wǒ zhī dào
眯地走上前说:"我知道

yǒu yī gè chí táng nà lǐ yǒu hǎo
有一个池塘,那里有好

chī de ní qiū　nǐ men xiǎng
吃的泥鳅,你们想

chī ma
吃吗?"

大雁们很想吃泥鳅，就请乌龟带他们去。乌龟让两只大雁衔着一根棍子，自己咬住棍子中间。

大雁们"扑"的一声同时飞上天，越飞越高。乌龟咬住棍子，从高空看地面，感觉好新奇、好兴奋！

乌龟一得意，就对大雁说："哈哈，你们都被我骗了，根本没有什么池塘。"没想到刚一开口，便从高空掉了下去，摔晕了。

妈妈的话 做任何事情都要诚实，欺骗别人，受苦的往往是自己。

39

喜鹊借米

喜鹊和麻雀住在一起。一次，家里没米了，他们就商量到松鼠家借些米来。喜鹊找到松鼠家，对松鼠大声叫道："松鼠，我饿了。快给我一些米，我好做饭吃。"

松鼠见喜鹊一点礼貌都没有，很不高兴，便对他说："没礼貌的喜鹊，我没有米借给你。"

喜鹊见松鼠不肯借米，就"唧唧喳喳"地说松鼠小气，然后气呼呼地飞回家去了。

麻雀知道了，便说："让我去试试吧。"他来到松鼠家，先热情地向松鼠问好，然后说："松鼠哥哥，我饿了。你能不能借点儿米给我？我明天一定还。先谢谢啦！"

松鼠见麻雀这么有礼貌，就借给他一袋米。

妈妈的话 向别人求助时，一定要有礼貌，那样别人才会乐意帮助你。

41

小猴子 学本领

一天，猴妈妈对小猴子说："你长大了，该去外面的世界看看，学些本领。"小猴子听了，高兴地出发了。

走啊走，小猴子看见大雁阿姨在天上飞来飞去，动作非常优美，就想学飞翔。可大雁阿姨笑着说："孩子，你没有翅膀，飞翔不适合你。你还

是去学别的本领吧。"

小猴子又上路了。走啊走,走了半天也没找到他想学的本领,他有点伤心。

这时,猫大哥走了过来,听小猴子说想学飞,就笑了:"猴弟弟,你还是跟我学爬树吧。"小猴子高兴地点点头。很快小猴子就学会了爬树。现在,他每天都能爬到树上摘自己喜欢吃的水果了。

妈妈的话 找准适合自己学的东西,再努力学习,这样才能学到真本领。

大象和小花猫

森林里的大象很看不起小花猫，常翘起长鼻子对小花猫说："你这么小，都没我的半截蹄子粗，能干什么！"小花猫听了也不生气。

这天，大象在树下乘凉。突然，蹿出一只老鼠，他顺着大

44

xiàng de cū tuǐ wǎng
象的粗腿往

dà xiàng shēn shang pá   dà
大象身上爬。大

xiàng yòng lì yī dǒu   bǎ lǎo shǔ dǒu
象用力一抖,把老鼠抖

zài dì shang zhǔn bèi cǎi sǐ tā   zhǐ
在地上,准备踩死他。只

jiàn lǎo shǔ xùn sù zhuǎn le gè shēn   zhī liū
见老鼠迅速转了个身,"吱溜"

yī xià zuān jìn le dà xiàng de bí kǒng li
一下钻进了大象的鼻孔里。

        dà xiàng huāng le   shǐ jìn shuǎi bí zi   jí de mǎn tóu dà hàn
大象慌了,使劲甩鼻子,急得满头大汗。

zhè shí   xiǎo huā māo cóng shù cóng li tiào chū lái   yī xià zi lā zhù le lǎo
这时,小花猫从树丛里跳出来,一下子拉住了老

shǔ de wěi ba   hěn kuài jiù bǎ tā lā le chū lái
鼠的尾巴,很快就把他拉了出来。

        cóng cǐ yǐ hòu dà xiàng zài yě bù gǎn qiáo bù qǐ xiǎo huā māo le   hái
从此以后,大象再也不敢瞧不起小花猫了,还

hé tā chéng le hǎo péng you
和他成了好朋友。

妈妈的话 每个人都有自己的长处,我们可不能小看别人。

锦鸡的尾巴

锦鸡有一条漂亮的长尾巴。一天，小白兔对锦鸡说："锦鸡哥哥，请你帮我把篮子放到背上好吗？"锦鸡摇摇头："我没空，我要梳尾巴呢。"说着，就开始梳理起他那翘得高高的尾巴来。

锦鸡每天都忙着梳理尾巴，从不愿意帮助其他动物。

màn màn de   shéi dōu
慢慢地，谁都

bù lǐ tā le
不理他了。

zhè tiān   yī zhī hú li kàn
这天，一只狐狸看

jiàn jǐn jī zhèng zài shū lǐ wěi ba   biàn qiāo
见锦鸡正在梳理尾巴，便悄

qiāo lái dào tā bèi hòu   yī xià zi pū le guò
悄来到他背后，一下子扑了过

qù   jǐn jī xià de pū teng zhe chì bǎng   tā de
去。锦鸡吓得扑腾着翅膀，他的

wěi ba tài cháng le   hú li yī xià jiù zhuā zhù le
尾巴太长了，狐狸一下就抓住了。

jǐn jī dà shēng hǎn dào   jiù mìng a   hú
锦鸡大声喊道："救命啊！"狐

li shuō   nǐ méi yǒu péng you   shéi huì lái jiù nǐ a
狸说："你没有朋友，谁会来救你啊？"

jiù zhè yàng   jǐn jī chéng le hú li de měi cān
就这样，锦鸡成了狐狸的美餐。

 平时多帮助别人，在自己遇到困难的时候，才能
得到别人的帮助。

漂亮宝宝

乌鸦妈妈和喜鹊妈妈都生了小宝宝。

喜鹊宝宝的羽毛十分漂亮，而乌鸦宝宝的羽毛黑黑的，像煤炭一样。小鸟们看见了，都夸喜鹊宝宝长得好看，没有一个夸乌鸦宝宝的。

喜鹊妈妈和宝宝很得意。乌鸦宝宝却很难过，他们问妈妈："我们是不是长得很难看？"乌鸦妈妈抱着乌鸦宝宝们，温柔地说："不要难过，妈妈喜欢你们。在妈妈眼里，你们是最漂亮的。"

宝宝们一天一天地长大了，喜鹊宝宝学会了唱歌，大家都夸他们唱得好听。乌鸦宝宝只会"哇——哇——"地叫，但是他们并不难过，因为他们知道在妈妈的心里，他们的歌声才是最动听的。

妈妈的话 外表的美丑并不重要，每个宝宝在妈妈眼中都是最美的。

公鸡觅食

　　yī zhī gōng jī zài sì chù zhǎo chī de　　tā kàn jiàn yī kē yuán yuán
　　一只公鸡在四处找吃的。他看见一颗圆圆
de dōng xi　zhuó le yī xià　xiāng pēn pēn de　shì huā shēng mǐ　zhēn hǎo chī
的东西，啄了一下，香喷喷的，是花生米，真好吃。
tā　yī kǒu bǎ huā shēng mǐ tūn xià qù le
他一口把花生米吞下去了。

　　gōng jī gāo xìng de jì xù zhǎo　　tā yòu kàn jiàn yī kē yuán yuán de
　　公鸡高兴地继续找。他又看见一颗圆圆的
dōng xi　zhuó le yī xià　suān suān tián tián　shì pú táo　wèi dào hǎo de hen
东西，啄了一下，酸酸甜甜，是葡萄，味道好得很。
tā　yī kǒu bǎ pú táo tūn le xià qù
他一口把葡萄吞了下去。

于是，公鸡得出了一个结论：只要是圆圆的东西都可以吃。

过了一会儿，公鸡又发现了一颗圆圆的东西，它比刚才的花生米和葡萄都要圆，还闪闪发光。

他想：这颗东西这么圆，肯定特别好吃。于是，他高兴地跑过去，一口把这颗圆东西吞了下去。

可是这回，公鸡差点儿被噎住。原来，那颗圆东西是一粒钢珠子，根本不能吃。

妈妈的话 看上去一样的东西并不一定真的一样，看上去好看的东西也并不一定有用处。

章鱼打架

zhāng yú cháng cháng hé zhāng yú duō duō shì liǎng xiōng dì
章鱼长长和章鱼多多是两兄弟，

tā men dōu yǒu bā zhī cháng ér yǒu lì de chù shǒu　　jīn tiān
他们都有八只长而有力的触手。今天，

cháng cháng bù xiǎo xīn cǎi dào le duō duō de yī zhī chù shǒu
长长不小心踩到了多多的一只触手，

duō duō téng de　　wā wā　　dà jiào
多多疼得"哇哇"大叫。

kuài diǎn dào qiàn　　　duō duō fēi cháng shēng qì
"快点道歉！"多多非常生气。

wǒ piān bù　　　cháng cháng ào màn de zhuǎn shēn
"我偏不！"长长傲慢地转身

jiù zǒu
就走。

duō duō lián máng shēn chū chù shǒu qù zhuā cháng cháng 。 jiù zhè yàng ，
多多连忙伸出触手去抓长长。就这样，

liǎng xiōng dì dǎ qǐ lái le 。 dǎ zhe dǎ zhe ， tā men de bā
两兄弟打起来了。打着打着，他们的八

zhī chù shǒu quán dōu chán zài le yī qǐ ！
只触手全都缠在了一起！

zhè shí ， xiǎo páng xiè gāng hǎo jīng guò ， tā men jiù qǐng xiǎo
这时，小螃蟹刚好经过，他们就请小

páng xiè bāng máng 。 xiǎo páng xiè shǐ chū hún shēn de lì qi ，
螃蟹帮忙。小螃蟹使出浑身的力气，

jiě kāi yī gēn 、 liǎng gēn 、 sān gēn …… zuì hòu ，
解开一根、两根、三根……最后，

hái yǒu liǎng gēn chán zài yī qǐ 。 xiǎo páng xiè nǔ
还有两根缠在一起。小螃蟹努

lì de lā ya chě ya ， zǒng suàn jiě kāi le ，
力地拉呀扯呀，总算解开了，

cháng cháng hé duō duō yě lèi de bù xiǎng
长长和多多也累得不想

dòng le 。
动了。

妈妈的话 打架是不对的。兄弟
姐妹之间更要相亲相爱。

53

森林清洁工 屎壳郎

yī tiān　lǎo hǔ cǎi dào yī gè yuán yuán de qiú　　yā　chòu sǐ le
一天，老虎踩到一个圆圆的球。呀，臭死了！

yuán lái zhè shì yī gè fèn qiú　lǐ miàn yǒu yī zhī shǐ ke làng　lǎo hǔ hěn
原来这是一个粪球，里面有一只屎壳郎。老虎很

shēng qì　　sēn lín zhè me gān jìng　zěn me néng yǒu shǐ ke làng zhè me zāng de
生气："森林这么干净，怎么能有屎壳郎这么脏的

dòng wù　　tā mǎ shàng bǎ shǐ ke làng quán jiā gǎn chū le sēn lín
动物？"他马上把屎壳郎全家赶出了森林。

méi guò duō jiǔ　sēn lín li de fèn biàn yuè lái yuè duō　dào chù dōu
没过多久，森林里的粪便越来越多，到处都

shì　lǎo hǔ shēng qì jí le　mìng lìng zhuī chá shì shéi zhè me bù jiǎng wèi shēng
是。老虎生气极了，命令追查是谁这么不讲卫生。

<ruby>调<rt>diào</rt></ruby><ruby>查<rt>chá</rt></ruby><ruby>结<rt>jié</rt></ruby><ruby>果<rt>guǒ</rt></ruby><ruby>很<rt>hěn</rt></ruby><ruby>快<rt>kuài</rt></ruby><ruby>出<rt>chū</rt></ruby><ruby>来<rt>lái</rt></ruby><ruby>了<rt>le</rt></ruby>：<ruby>原<rt>yuán</rt></ruby><ruby>来<rt>lái</rt></ruby>，<ruby>屎<rt>shǐ</rt></ruby><ruby>壳<rt>ke</rt></ruby><ruby>郎<rt>làng</rt></ruby><ruby>以<rt>yǐ</rt></ruby><ruby>前<rt>qián</rt></ruby><ruby>一<rt>yī</rt></ruby><ruby>直<rt>zhí</rt></ruby>

<ruby>是<rt>shì</rt></ruby><ruby>森<rt>sēn</rt></ruby><ruby>林<rt>lín</rt></ruby><ruby>的<rt>de</rt></ruby><ruby>清<rt>qīng</rt></ruby><ruby>洁<rt>jié</rt></ruby><ruby>工<rt>gōng</rt></ruby>，<ruby>他<rt>tā</rt></ruby><ruby>们<rt>men</rt></ruby><ruby>能<rt>néng</rt></ruby><ruby>把<rt>bǎ</rt></ruby><ruby>分<rt>fēn</rt></ruby><ruby>散<rt>sàn</rt></ruby><ruby>的<rt>de</rt></ruby><ruby>粪<rt>fèn</rt></ruby><ruby>便<rt>biàn</rt></ruby><ruby>聚<rt>jù</rt></ruby><ruby>集<rt>jí</rt></ruby><ruby>起<rt>qǐ</rt></ruby><ruby>来<rt>lái</rt></ruby>，

<ruby>然<rt>rán</rt></ruby><ruby>后<rt>hòu</rt></ruby><ruby>将<rt>jiāng</rt></ruby><ruby>它<rt>tā</rt></ruby><ruby>们<rt>men</rt></ruby><ruby>堆<rt>duī</rt></ruby><ruby>成<rt>chéng</rt></ruby><ruby>球<rt>qiú</rt></ruby><ruby>状<rt>zhuàng</rt></ruby><ruby>再<rt>zài</rt></ruby><ruby>吃<rt>chī</rt></ruby><ruby>掉<rt>diào</rt></ruby>。<ruby>自<rt>zì</rt></ruby><ruby>从<rt>cóng</rt></ruby><ruby>他<rt>tā</rt></ruby><ruby>们<rt>men</rt></ruby><ruby>被<rt>bèi</rt></ruby><ruby>赶<rt>gǎn</rt></ruby><ruby>出<rt>chū</rt></ruby>

<ruby>森<rt>sēn</rt></ruby><ruby>林<rt>lín</rt></ruby><ruby>后<rt>hòu</rt></ruby>，<ruby>再<rt>zài</rt></ruby><ruby>也<rt>yě</rt></ruby><ruby>没<rt>méi</rt></ruby><ruby>人<rt>rén</rt></ruby><ruby>清<rt>qīng</rt></ruby><ruby>理<rt>lǐ</rt></ruby><ruby>粪<rt>fèn</rt></ruby><ruby>便<rt>biàn</rt></ruby><ruby>了<rt>le</rt></ruby>。

<ruby>老<rt>lǎo</rt></ruby><ruby>虎<rt>hǔ</rt></ruby><ruby>这<rt>zhè</rt></ruby><ruby>才<rt>cái</rt></ruby><ruby>知<rt>zhī</rt></ruby><ruby>道<rt>dào</rt></ruby><ruby>自<rt>zì</rt></ruby><ruby>己<rt>jǐ</rt></ruby><ruby>做<rt>zuò</rt></ruby><ruby>错<rt>cuò</rt></ruby><ruby>了<rt>le</rt></ruby>，<ruby>他<rt>tā</rt></ruby><ruby>亲<rt>qīn</rt></ruby><ruby>自<rt>zì</rt></ruby><ruby>将<rt>jiāng</rt></ruby><ruby>屎<rt>shǐ</rt></ruby><ruby>壳<rt>ke</rt></ruby><ruby>郎<rt>làng</rt></ruby>

<ruby>一<rt>yī</rt></ruby><ruby>家<rt>jiā</rt></ruby><ruby>请<rt>qǐng</rt></ruby><ruby>回<rt>huí</rt></ruby><ruby>了<rt>le</rt></ruby><ruby>森<rt>sēn</rt></ruby><ruby>林<rt>lín</rt></ruby>。<ruby>从<rt>cóng</rt></ruby><ruby>此<rt>cǐ</rt></ruby>，<ruby>森<rt>sēn</rt></ruby><ruby>林<rt>lín</rt></ruby><ruby>又<rt>yòu</rt></ruby><ruby>变<rt>biàn</rt></ruby><ruby>得<rt>de</rt></ruby><ruby>干<rt>gān</rt></ruby><ruby>干<rt>gān</rt></ruby><ruby>净<rt>jìng</rt></ruby><ruby>净<rt>jìng</rt></ruby><ruby>了<rt>le</rt></ruby>。

妈妈的话 千万不能以貌取人，外表不起眼的人，可能正是为我们的生活作出巨大贡献的人。

一罐猪油

从前，猫和老鼠是好朋友，他们生活在一起。秋天来了，猫和老鼠合买了一罐猪油，打算把它藏好，在冬天找不到食物的时候吃。

没过多久，贪吃的猫嘴馋了。他对老鼠说去走亲戚，实际上是去偷吃猪油。猪油真香呀，猫一次就吃掉了半罐。

没过几天，猫又馋了，他又找

了借口出去，这次他把所有的猪油都吃光了。回到家，为了不引起老鼠怀疑，他就跟老鼠讲了很多他出门的见闻。

冬天来了，老鼠想把那罐猪油拿回家和猫一起分享。他打开罐头一看，里边是空的！老鼠忽然想起猫的两次外出，便什么都明白了。

他生气地离开了猫，再也不和他做朋友了。

妈妈的话 连朋友都要欺骗的人，最终会失去所有的朋友。

57

狐狸分饼

liǎng zhī xiǎo xióng chū qù wán　　zài lù shang jiǎn dào yī
两只小熊出去玩，在路上捡到一

kuài bǐng　　xiōng dì liǎ qiǎng zhe yào chī zhè kuài bǐng　　hù bù
块饼。兄弟俩抢着要吃这块饼，互不

xiāng ràng　　zuì hòu jìng dǎ le qǐ lái
相让，最后竟打了起来。

yī zhī hú li lù guò kàn jiàn le　　shuō　　wǒ lái
一只狐狸路过看见了，说："我来

bāng nǐ men fēn bǐng　　bǎo zhèng liǎng kuài yī yàng dà　　liǎng zhī
帮你们分饼，保证两块一样大。"两只

xiǎo xióng jiù bǎ bǐng jiāo gěi le hú li
小熊就把饼交给了狐狸。

狐狸把饼掰成两块，但是一块大一块小，两只小熊都想要大的那块。狐狸便在大的那块上咬一口，这下，大的那块变得比原来小的那块还要小。两块饼还是没有一样大。

于是，狐狸左咬一口，右咬一口，等到两块饼差不多被他咬光时，终于一样大了。他把饼递给两只小熊："饼分好了，拿去吧。"说完，就跑了。

兄弟俩这才发现他们上了狐狸的当。

妈妈的话 兄弟姐妹之间不应该争抢，应该互相谦让，和睦相处，相亲相爱。

公羊的角

有一只公羊，他长着一对又粗又长的犄角。

这对犄角高高地挺立着，看起来非常威武。

公羊不论遇到谁，都能想出些挖苦的话来，还会经常数落别人一番。

他觉得自己是世界上最强大、最有本领的动物。

有一天，公羊在乡间散步。他双手

jiāo chā　jiāo ào
交叉，骄傲

de áng zhe tóu　zǒu zhe zǒu
地昂着头。走着走

zhe　gōng yáng kàn jiàn qián miàn yǒu yī dào
着，公羊看见前面有一道

ǎi ǎi de shí qiáng dǔ zhù le tā de qù lù
矮矮的石墙堵住了他的去路。

tā qīng miè de kàn le kàn　xīn xiǎng xiǎo ǎi
他轻蔑地看了看，心想：小矮

qiáng yǒu shén me liǎo bu qǐ　wǒ bù fèi lì jiù
墙有什么了不起，我不费力就

néng bǎ nǐ dǐng fān　yú shì　hū dì zhuàng le shàng qù
能把你顶翻！于是，忽地撞了上去。

shí qiáng wén sī wèi dòng　kě shì gōng yáng de yī
石墙纹丝未动，可是公羊的一

zhī jiǎo què bèi zhuàng duàn le
只犄角却被撞断了！

妈妈的话 狂妄自大的人总有一天是要吃亏的。

61

小熊猫学手艺

小熊猫斑斑想做一名木匠。他就去隔壁村子找到有名的棕熊木匠，向他拜师学艺。

可是，棕熊师傅刚教给他一点知识，他就不耐烦了，大叫着："我会了！我会了！"然后就回家去了。

斑斑回到村子，大家都

以为他已经学到了很厉害的本领。

这天，长颈鹿发现家里的桌腿不平整，就请斑斑来修理。可是，斑斑既不会用锯子，也不会用刨子，就胡乱修了一通。结果，他竟然把桌子给修坏了。

斑斑这才明白，自己还有很多本领没有学到。他决定再向棕熊师傅学习，学到真正的本领，做一名称职的木匠。

妈妈的话 不管学什么都要虚心，这样才能学到真正的本领。

枫树爷爷的 小红帽

qiū tiān lái le　　fēng shù yé ye de yè zi dōu biàn hóng le
秋天来了，枫树爷爷的叶子都变红了，

tā yòng hóng sè de yè zi zuò le　yī dǐng xiǎo hóng mào　　zhè dǐng xiǎo
他用红色的叶子做了一顶小红帽。这顶小

hóng mào shí zài tài piào liang le　xiǎo niǎo men dōu xiǎng yào
红帽实在太漂亮了，小鸟们都想要。

fēng shù yé ye bù zhī dào gāi bǎ mào zi sòng gěi shéi
枫树爷爷不知道该把帽子送给谁，

jiù shuō　　nǐ men huí qù dǎ
就说："你们回去打

ban dǎ ban　míng tiān yī qǐ
扮打扮，明天一起

64

到我这里来吧。

我要把这顶小红

帽送给最美的小鸟。"

第二天，大家很

早就到了，却迟迟不见喜鹊和乌

鸦的影子。直到枫树爷爷准备送出

小红帽时，她们才匆匆忙忙赶到。

乌鸦说："枫树爷爷，您别怪喜鹊，

她是为了帮我打扮才迟到的。"

枫树爷爷听了，不住地点头微笑。他决定将

小红帽送给喜鹊，因为喜鹊的心灵最美。

妈妈的话 一个人的美与丑不在于外表，心灵美才是最美的。

大家一起拔萝卜

yǒu yī tiān xiǎo gǒu zài cài dì li fā xiàn le yī gè dà luó bo
有一天，小狗在菜地里发现了一个大萝卜。

zhè luó bo wèi dào yī dìng bù cuò wǒ yào bǎ tā dài huí jiā áo tāng hē
"这萝卜味道一定不错！我要把它带回家熬汤喝。"

xiǎo gǒu zhuā zhù luó bo yè zi shǐ jìn de bá dàn tā shǐ jìn quán shēn lì
小狗抓住萝卜叶子，使劲地拔。但他使尽全身力

qi hái shi méi yǒu bá qǐ lái
气，还是没有拔起来。

zhè shí xiǎo māo cóng cài dì biān
这时，小猫从菜地边

jīng guò xiǎo gǒu dà shēng hǎn xiǎo
经过。小狗大声喊："小

māo kuài lái bāng máng a xiǎo
猫，快来帮忙啊！"小

māo tīng dào hòu gǎn jǐn pǎo
猫听到后,赶紧跑

guò qù bào zhù xiǎo gǒu xiàng hòu
过去抱住小狗向后

tuō kě shì tā men hái shì
拖。可是,他们还是

bá bù chū dà luó bo
拔不出大萝卜。

yú shì xiǎo māo yòu hǎn lái tù zi
于是,小猫又喊来兔子,

dàn shì luó bo réng rán yī dòng bù dòng
但是,萝卜仍然一动不动。

tù zi yòu hǎn lái dà gōng jī xiǎo gǒu xiǎo māo tù zi hé
兔子又喊来大公鸡。小狗、小猫、兔子和

gōng jī bào zhù dà luó bo dà jiā yī qí yòng lì yī èr sān
公鸡抱住大萝卜,大家一齐用力:"一,二,三!"

zhōng yú bǎ luó bo bá chū lái le
终于把萝卜拔出来了。

huí jiā áo luó bo tāng hē la sì zhī xiǎo dòng wù tái zhe dà luó
"回家熬萝卜汤喝啦!"四只小动物抬着大萝

bo gāo gāo xìng xìng huí jiā qù le
卜,高高兴兴回家去了。

妈妈的话 人多力量大! 大家一起努力,办事情就容易多了。

唱歌的小狼

yī zhī gāng huì bǔ shí de xiǎo láng zhuō dào le yī zhī xiǎo shān yáng
一只刚会捕食的小狼捉到了一只小山羊，

xiǎo shān yáng āi qiú xiǎo láng wǒ shì chū sè de wǔ dǎo jiā wǒ xiǎng zài
小山羊哀求小狼："我是出色的舞蹈家，我想在

bèi chī zhī qián tiào zuì hòu yī zhī wǔ má fan nín wèi wǒ chàng
被吃之前跳最后一支舞，麻烦您为我唱

shǒu gē bàn zòu ba
首歌伴奏吧。"

xiǎo láng xīn xiǎng chī fàn qián
小狼心想：吃饭前

xīn shǎng yī duàn wǔ yě bù cuò yú shì
欣赏一段舞也不错，于是

tā dà shēng de chàng qǐ gē lái
他大声地唱起歌来。

xiǎo shān yáng wéi zhe tā tiào
小山羊围着他跳

wǔ tā men kàn qǐ lái
舞，他们看起来

68

hé zuò de fēi cháng yú kuài
合作得非常愉快。

zhè shí xiǎo gǒu gāng
这时，小狗刚

hǎo jīng guò tā tīng dào xiǎo láng zài
好经过，他听到小狼在

chàng gē jué de hěn qí guài xiǎo láng
唱歌，觉得很奇怪："小狼

jīn tiān zěn me zhè me kāi xīn xiǎo gǒu zǒu jìn
今天怎么这么开心？"小狗走近

yī kàn xiǎo shān yáng zhèng zài yī biān tiào zhe wǔ yī
一看，小山羊正在一边跳着舞，一

biān fā chū àn hào xiàng tā qiú jiù tā gǎn jǐn pū shàng
边发出暗号向他求救！他赶紧扑上

qián qù bǎ xiǎo láng gǎn zǒu jiù chū le xiǎo shān yáng
前去，把小狼赶走，救出了小山羊。

xiǎo láng yǎn kàn zhe dào zuǐ de yáng ròu méi le fēi cháng
小狼眼看着到嘴的羊肉没了，非常

jǔ sàng
沮丧。

妈妈的话 遇到危险时，千万不要慌乱，要发挥聪明才智，想出解决的办法。

斑马的外衣

斑马群里有一只叫路吉的斑马。他不喜欢自己那套黑白相间的衣服，觉得特别难看。

最可气的是，那些黑色条纹还长到了脸上。

"我太讨厌脸上的条纹了！"路吉常常向伙伴们抱怨。

一天中午，路吉在草原上吃草，突然，他被一群狮子包围了。他很害怕，但猛然想起老师讲过，斑马的外衣有迷惑性。于是，路吉开始在狮子前面绕圈。一圈，两圈……他越跑越快！

果然，狮子们被绕晕了，有的还"砰"的一声倒在了地上。

"太好了！"路吉暗自高兴，他赶紧趁机逃跑了。这时，他觉得自己的外衣简直太酷了！

妈妈的话 我们身上与众不同的地方，也许正是我们的长处和优点。

71

小猴学拳击

小猴跟着熊先生学拳击,他聪明又好学,很快就学了一身好本领。

不久,小猴便在森林运动会上夺得了拳击冠军。大家都祝贺他,记者们也争着采访他,小猴有点飘飘然了。他觉得熊先生没什么了不起的,以

wéi néng yíng dé guàn jūn wán quán shì yīn wèi zì jǐ cōng míng
为能赢得冠军，完全是因为自己聪明。

yú shì dāng xióng xiān sheng zài jiào tā liàn quán shí tā jìng rán shuō
于是，当熊先生再叫他练拳时，他竟然说：

wǒ kě shì quán wáng nǐ píng shén me jiāo wǒ xióng xiān sheng hěn shēng qì
"我可是拳王，你凭什么教我？"熊先生很生气，

jué dìng bù zài jiāo xiǎo hóu quán jī jì shù
决定不再教小猴拳击技术。

xiǎo hóu mǎi le hěn duō yǒu guān quán jī de shū zì jǐ liàn
小猴买了很多有关拳击的书，自己练

quán kě shì méi yǒu shī fu de zhǐ diǎn xiǎo hóu de quán jī
拳，可是没有师父的指点，小猴的拳击

jì shù jìn bù hěn màn hěn kuài jiù bèi
技术进步很慢，很快就被

qí tā dòng wù chāo yuè le
其他动物超越了。

 做任何事情都不能骄傲自满，尊敬师长、虚心学习才容易取得成功。

狮子国王

狮子是森林王国的国王。一天，国家的边境受到了敌人的侵犯。狮子国王决定发动战争，保卫自己的国家。

他把全体动物召集起来，向他们发布命令："大象身体壮，负责运送枪炮和粮食；狐狸头脑聪明，就做参谋长；豹子擅长爬树，可以担任侦察员；

大熊健壮有力，打仗的时候冲在最前边……"

就这样，几乎每个动物都有了分工，只剩下兔子和驴了。

狮子对大家说："驴的叫声比我的吼声还要响亮，就做号角兵吧。兔子一蹦一跳，跑得特别快，就当传令员。"在狮子的领导下，动物们打赢了这一仗，把敌人赶得远远的！

妈妈的话 每个人充分发挥各自的特长，齐心协力，就能把事情做得更好。

恶狼看病

恶狼在吃东西时,被一小块尖利的骨头卡住了喉咙。他请仙鹤医生帮忙取出那块骨头,还保证给仙鹤医生一笔丰厚的报酬。仙鹤本来很不愿意帮助恶狼,但想到报酬,便答应了。

恶狼张开嘴,仙鹤看到他嘴里尖利的牙齿,吓得浑身发

抖，但还是鼓足勇气，把长嘴伸进恶狼的喉咙，为他取出了那块小骨头。

恶狼觉得喉咙舒服多了，高兴得叫了两声。

仙鹤问："我的报酬……"恶狼马上打断他的话："我没咬下你的头就不错了，你还敢要报酬？"

仙鹤这才明白，从恶狼身上是得不到什么东西的，于是发誓，今后只给那些善良的患者治病。

妈妈的话 有些坏人的本性是不会改变的，不要被他们的外表迷惑了。

小老鼠交朋友

顽皮的小老鼠悄悄地溜进了农场，他一转身，就看见两只动物。一只长得又高又大，样子很凶；另外一只长着柔软的毛和长长的尾巴，身上长有美丽的花纹，嘴边还有几根胡须，看起来很友好。

小老鼠绕过凶家伙，向长尾巴的家伙走去，想和他交朋友。

可是，这
kě shì zhè

位看似友好的
wèi kàn sì yǒu hǎo de

"朋友"突然"喵"
péng you tū rán miāo

的一声，向他露出了尖利的牙
de yī shēng xiàng tā lù chū le jiān lì de yá

齿。小老鼠吓得拔腿就跑，一口气跑回了家。
chǐ xiǎo lǎo shǔ xià de bá tuǐ jiù pǎo yī kǒu qì pǎo huí le jiā

鼠妈妈听了小老鼠的经历，笑着说："那个看
shǔ mā ma tīng le xiǎo lǎo shǔ de jīng lì xiào zhe shuō nà ge kàn

似友好的家伙是猫。他虽然看着温和，却是鼠类
sì yǒu hǎo de jiā huo shì māo tā suī rán kàn zhe wēn hé què shì shǔ lèi

的天敌。而那个样子凶的是公鸡，他虽然样子很
de tiān dí ér nà ge yàng zi xiōng de shì gōng jī tā suī rán yàng zi hěn

凶，但是不会伤害老鼠。"
xiōng dàn shì bù huì shāng hài lǎo shǔ

妈妈的话 交朋友不能只看表面，要看清他们的真面目，这样才能交到可靠的朋友。

小刺猬 理发

小刺猬看到小狐狸有软软的、好看的头发，而自己只有一身硬刺，心里又羡慕又难过。于是，他决定去山羊大叔开的理发店做一个新发型。

到了理发店，小刺猬把自己的想法告诉了山羊大叔。山羊大叔拿出剪刀准备给小刺猬理发。

啊，小刺猬的刺太硬了，根本没办法修剪！

山羊大叔抱歉地说："唉，小刺猬，

我真是无能为力啊！"

小刺猬听了好难过，眼泪"啪嗒啪嗒"地落了下来。山羊大叔安慰他说："你这个发型不是很好嘛，不但可以保护自己，还可以扎一身红枣带回家吃。"

小刺猬想了想，确实是这样，于是又高兴地笑了。从此，他再也不羡慕小狐狸的发型了。

妈妈的话 其实，每个人都有自己的优点和长处，何必非得模仿别人呢？

兔子评理

yī zhī láng bù xiǎo xīn diào jìn le liè rén shè de xiàn jǐng li shān
一只狼不小心掉进了猎人设的陷阱里。山
yáng kàn jiàn le jiù chū le láng
羊看见了，救出了狼。

láng shàng lái yǐ hòu duì shān yáng shuō wǒ xiàn zài dù zi è le
狼上来以后，对山羊说："我现在肚子饿了，
nǐ jiù rén jiù dào dǐ ràng wǒ chī le nǐ ba
你救人救到底，让我吃了你吧。"

shān yáng dà chī yī jīng shuō wǒ jiù le nǐ de mìng nǐ zěn me
山羊大吃一惊，说："我救了你的命，你怎么
fǎn ér yào chī wǒ láng shuō wǒ bù chī nǐ de huà huì è sǐ de
反而要吃我？"狼说："我不吃你的话，会饿死的。"
shuō wán zhǔn bèi pū xiàng shān yáng
说完，准备扑向山羊。

这时，一只兔子路过，山羊便请兔子来评理。

他们把事情的经过告诉兔子，兔子听完，说："你们都没说清楚，除非让我亲眼看你救狼的经过，我才好评理。"

狼想赶快把山羊吃掉，马上跳进陷阱。山羊刚想拉狼上来，兔子拦住他："跟他还讲什么道理，让猎人来收拾他吧。"说完，拉着山羊走了。

妈妈的话 在帮助别人的时候，也要擦亮眼睛，可不要上了坏人的当。

83

小鸟 的谢礼

一只小鸟的窝被大风吹走了，他在灌木丛里伤心地哭泣。小熊兄弟看到了，找来了树枝和干草，给小鸟建了一个漂亮、舒适的巢。这下，小鸟有新家了。

第二天，小鸟特地来感谢小熊兄弟："谢谢你们！请让我为你们做点事吧。"于是，小鸟和他的伙伴们一起找到了一段大的空树干，在上面啄出许多小洞。然后，他们请河狸把这段树干搬到附近的小溪边，并把树干一头插入小溪中。溪水流进空树干，又从小洞里流出来。

一个绝妙的自动淋浴器做成了！小鸟们把它送给小熊兄弟，小熊兄弟高兴地接受了。

有了这个自动淋浴器，小熊兄弟洗澡就方便多了。

妈妈的话 友好的行为常常会得到友好的回报。

小狗露宿

一个炎热的夏天，小狗和主人赶了一天的路。晚上，他们来到池塘边的草地上休息。

小狗睡得正香，忽然被一阵"呱呱呱"的叫声吵醒了。小狗很生气，马上爬起来跳入水中，冲着青蛙们吼起来，希望能吓住他们。没想到，青蛙们叫得

gèng dà shēng le
更大声了。

xiǎo gǒu zhǐ hǎo duǒ dào zhǔ
小狗只好躲到主

rén shēn biān shēng qì de shuō   zhè qún qīng
人身边，生气地说："这群青

wā tài kě wù le lǎo shì jiào gè bù tíng
蛙太可恶了，老是叫个不停。

kàn lái jīn tiān wǎn shang shì méi bàn fǎ zài shuì jiào le
看来今天晚上是没办法再睡觉了。"

zhè shí zhǔ rén xiào zhe shuō   nǐ bié shēng qì le
这时，主人笑着说："你别生气了。

qīng wā xí guàn zài wǎn shang jiào   wǒ men huàn gè dì fang xiū xi ba   shuō
青蛙习惯在晚上叫。我们换个地方休息吧。"说

wán dài zhe xiǎo gǒu lí kāi le chí táng
完，带着小狗离开了池塘。

妈妈的话 我们在责备别人之前，要先看看问题是不是出在自己
身上，可不能错怪别人哦。

87

河边 的旧鞋

一天，小动物们在小河边发现了一只鞋子。这只鞋子很旧了，大家都认为它一点儿用处也没有，谁也不去理会它。

但小刺猬觉得没准它能派上什么用场！于是，他请小动物们把旧鞋拖到岸上。

第二天，小动物们正在玩捉迷藏，云雀发现了这只旧鞋子，便悄悄地钻了进去，其他小动物

zěn me yě zhǎo bù dào tā zuì
怎么也找不到她，最

hòu dāng rán shì yún què yíng le
后当然是云雀赢了！

sōng shǔ kàn le kàn zhè zhī dà xié
松鼠看了看这只大鞋，

shuō zhè lǐ miàn hái kě yǐ chǔ cáng wǒ de sōng
说："这里面还可以储藏我的松

guǒ ne
果呢！"

màn màn de zhè zhī jiù xié chéng le xiǎo dòng wù men de yóu lè chǎng dà
慢慢地，这只旧鞋成了小动物们的游乐场，大

jiā tiān tiān zài zhè lǐ wán shuǎ guò de kě kuài huo le
家天天在这里玩耍，过得可快活了。

妈妈的话 快乐是靠大家来创造的。动动脑筋，许多东西都可以变得很有趣。

89

寒鸦扮鸽子

寒鸦看见一群鸽子住在舒适的鸽舍里，每天都能吃主人送来的美味食物，他很羡慕。于是，他将自己的羽毛全都涂成白色，打扮成鸽子的样子，偷偷混进了鸽舍。

寒鸦在鸽舍里住了下来，他怕被主人发现，一直不敢出声。

可是有一次，寒鸦一不留心，发出

了叫声。鸽子的主人很快就发现他不是鸽子,而是一只寒鸦,于是就让他离开了鸽舍。

寒鸦只好回到伙伴们身边。但是,因为他的羽毛变成了白色,其他寒鸦都不认识他了,还你一句我一句地将他赶走。

寒鸦没办法,只好孤零零地飞走了。

妈妈的话 我们应该珍惜现在拥有的一切,不要等到失去后才知道它们的珍贵。

胖熊 做车轮

pàng xióng kàn jiàn nóng fū zuò de chē lún néng mài hěn duō qián jiù xiǎng
胖熊看见农夫做的车轮能卖很多钱，就想：

sēn lín li mù tou duō de shì wǒ yě qù zuò chē lún ba yú shì tā měi
森林里木头多的是，我也去做车轮吧。于是，他每

tiān dōu zài sēn lín li xué zuò chē lún
天都在森林里学做车轮。

qiáo tā zhé duàn yī kē bái huà shù yòng bào zi bào le liǎng xià hái
瞧！他折断一棵白桦树，用刨子刨了两下还

shi bù píng zhěng jiù xián mù cái bù hǎo xiǎng huàn yú shù yú shì tā yòu
是不平整，就嫌木材不好，想换榆树。于是他又

折断一棵榆树……就这样，被胖熊折断的树木不计其数，可是他一个车轮也没做成。

胖熊觉得很奇怪，就去向农夫请教："老师，做车轮的窍门是什么？"农夫回答："做车轮最重要的是要有耐心。"

胖熊拜农夫为师，每天都认真地跟着师傅学习。几个月后，胖熊终于做出了结实又漂亮的车轮。

妈妈的话 做任何事情都要认真、有耐心。

93

自私的青蛙

qīng wā yuán lái zhù zài zhǎo zé dì li   chūn tiān
青蛙原来住在沼泽地里。春天，

tā zài fù jìn de shān shang fā xiàn le yī gè dà shān dòng
他在附近的山上发现了一个大山洞，

jiù bān dào nà lǐ ān jiā le
就搬到那里安家了。

kě shì dào le xià tiān   shān shang yòu gān yòu
可是到了夏天，山上又干又

rè   qīng wā zài dòng li dǎo gào   tiān shàng de
热。青蛙在洞里祷告："天上的

shén líng   gǎn kuài fā dà shuǐ ba   ràng shuǐ
神灵，赶快发大水吧！让水

zhǎng de hé shān qí píng   zhè yàng wǒ
涨得和山齐平，这样我

de bié shù jiù néng yǒng yuǎn liáng shuǎng
的别墅就能永远凉爽、

shī rùn le
湿润了。"

天神没有反应，青
蛙十分生气，还责骂天神：
"你作为天神，看到我在受苦也不帮忙，真是没有
怜悯之心啊！"

这时，天神开口了："难道为了你一个人的利
益，就要牺牲其他人吗？你太自私了！你为何不
搬回沼泽地去？"

青蛙听了，说不出话来。他确信山里不会发
大水后，只好扛起行李，搬回沼泽地去了。

妈妈的话 只考虑个人得失，不顾他人利益，这样的人是不会受欢迎的。

猴子国王

在一次动物聚会上，猴子表演了许多节目，赢得了大家的一致赞赏，因而被推选为国王。

狐狸很嫉妒，就想办法陷害猴子。

这天，狐狸领着猴子来到一个放着肉的捕兽夹旁，对猴子说："尊敬的大王，我发现了这块肉，想要把它呈献给您。"然后，劝说猴子亲自去取。

猴子高兴地凑上前去，刚准备拿的时候，发现了肉旁边的捕兽夹。他愤怒地指责狐狸："你想陷害我？你怎么能用这么险恶的手段对待你的国王？"

狐狸吓得连连后退，一不小心踩到了捕兽夹，疼得哇哇大叫。

妈妈的话 我们应把别人的成功作为鞭策自己的动力，而不是嫉妒、使坏。

水中的肉

xiǎo huáng gǒu xián zhe yī kuài ròu jīng guò yī zuò qiáo
小黄狗衔着一块肉经过一座桥，

tū rán tā fā xiàn qiáo xià de shuǐ zhōng yě yǒu yī zhī xiǎo
突然，他发现桥下的水中也有一只小

huáng gǒu nà zhī gǒu yě xián zhe yī kuài hěn dà de ròu
黄狗，那只狗也衔着一块很大的肉。

xiǎo huáng gǒu yú shì fàng xià zuǐ li de ròu cháo qiáo
小黄狗于是放下嘴里的肉，朝桥

xià dà jiào méi xiǎng dào shuǐ zhōng de gǒu yě fàng xià le
下大叫。没想到水中的狗也放下了

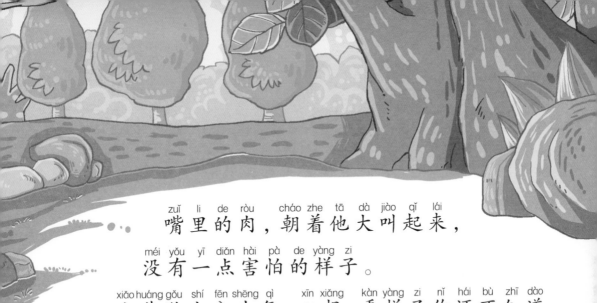

嘴里的肉，朝着他大叫起来，
没有一点害怕的样子。

小黄狗十分生气，心想：看样子你还不知道
我的厉害，我得给你点颜色看看。他往后退了
几步，猛地往河里冲去，大叫："把肉留下！"

结果，这只贪婪又愚蠢的小黄狗两块肉都
没得到：桥下的那块没捞到，因为那只是一个倒
影；而他本来衔着的肉，早就被在桥上看热闹的
小狗叼走了。

妈妈的话 贪婪可能会让人失去本来拥有的东西。

小猫钓鱼

今天的天气真好，猫妈妈和小猫去河边钓鱼。

小猫才钓了一会儿，便坐不住了。他东看看，西瞧瞧，发现一只蜻蜓飞来了，便丢下钓鱼竿去捉蜻蜓。蜻蜓飞走了，小猫气呼呼地空着手回到河边，坐下来继续钓鱼。

过了一会儿，又飞来了一

100

zhī hú dié xiǎo māo lì kè fàng xià diào yú gān qù zhuō hú dié kě xī
只蝴蝶。小猫立刻放下钓鱼竿，去捉蝴蝶。可惜，

hú dié fēi zǒu le xiǎo māo yòu zhǐ hǎo kōng zhe shǒu huí dào hé biān zhè shí
蝴蝶飞走了，小猫又只好空着手回到河边。这时，

mā ma yǐ jīng diào shàng le hǎo jǐ tiáo dà yú
妈妈已经钓上了好几条大鱼。

māo mā ma kàn le kàn xiǎo māo shuō diào yú kě bù néng sān xīn èr
猫妈妈看了看小猫，说："钓鱼可不能三心二

yì yī huìr zhuō qīng tíng yī huìr yòu zhuō hú dié zěn me néng diào
意。一会儿捉蜻蜓，一会儿又捉蝴蝶，怎么能钓

dào yú ne
到鱼呢？"

xiǎo māo tīng le mā ma de huà yī xīn yī yì de diào qǐ yú lái
小猫听了妈妈的话，一心一意地钓起鱼来。

méi guò duō jiǔ tā yě diào dào le yī tiáo dà yú
没过多久，他也钓到了一条大鱼！

妈妈的话 做任何事情都要专心，那样才能做得又快又好。

101

咕咚 来了

xiǎo bái tù zài hé biān wán shuǎ tū rán tīng dào gū dōng yī shēng
小白兔在河边玩耍，突然听到"咕咚"一声。

dǎn xiǎo de xiǎo bái tù xià de zhuǎn shēn jiù pǎo yī biān pǎo yī biān bù tíng de
胆小的小白兔吓得转身就跑，一边跑一边不停地

hǎn huài la huài la gū dōng lái la
喊："坏啦！坏啦！咕咚来啦！"

sēn lín li de xiǎo dòng wù men kàn dào xiǎo bái tù jīng huāng de yàng zi
森林里的小动物们看到小白兔惊慌的样子，

yǐ wéi lái le shén me guài wu yě gēn zhe pǎo le qǐ lái yī biān pǎo yī
以为来了什么怪物，也跟着跑了起来，一边跑一

边喊：“不好了，咕咚来了！”

森林里的大动物们见了，也跟着一起跑，他们都以为咕咚是一个凶残的大怪物呢。

大家跑累了，再也跑不动了。他们停下来，互相一问，原来谁也没见过咕咚。于是，大家壮着胆子来到河边想看个究竟。这时候，一个木瓜掉进了河里，只听见“咕咚”一声！

妈妈的话 流言传来的时候，弄清真相比盲目从众更有意义。

小公鸡学艺

一天，太阳已经升起，小公鸡背着喇叭走了很远的路，去找大公鸡学吹喇叭。

大公鸡说："你来迟了，我已经吹过三遍了，你明天再来吧。"

第二天，太阳刚出来，小公鸡就出发了。可到了那里，大公鸡又摇摇头说："你还

是来迟了，我已经吹了两遍，你明天再来。"

第三天，天还没亮，小公鸡就出发了。这次，大公鸡赞赏道："你这么有毅力，一定能学好！"从此，大公鸡认真地教，小公鸡认真地学。

小公鸡学会吹喇叭之后，就回到村子里，吹第一遍，村里的公鸡就会跟他一起吹；吹第二遍，太阳就会出来；吹第三遍，小朋友就高兴地唱着歌去上学。

妈妈的话 做任何事情都要有毅力，坚持才能学到真正的本领！

105

美丽的珍珠

dà yǔ gāng tíng xiǎo qīng wā jiù cóng chí táng li tàn chū tóu lái le
大雨刚停，小青蛙就从池塘里探出头来了。

chí táng li de hé huā jìng jìng de kāi fàng zhe xiǎo qīng wā shēn shēn de xī
池塘里的荷花静静地开放着，小青蛙深深地吸

le yī kǒu qì rěn bù zhù shuō zhēn xiāng a
了一口气，忍不住说："真香啊！"

xiǎo qīng wā hòu tuǐ yī dēng tiào dào yī piàn hé yè shang tā kàn
小青蛙后腿一蹬，跳到一片荷叶上。他看

jiàn hé yè shang yǒu hěn duō jīng yíng míng liàng de xiǎo shuǐ zhū tā men zài yáng
见荷叶上有很多晶莹明亮的小水珠，它们在阳

guāng de zhào shè xià fā chū le qī cǎi de guāng máng tā yī huàng hé yè
光的照射下发出了七彩的光芒。他一晃荷叶，

xiǎo shuǐ zhū biàn zài hé yè shang fān lái gǔn qù　piào liang jí le
小水珠便在荷叶上翻来滚去，漂亮极了！

　　　　　zhēn hǎo kàn　　　　xiǎo qīng wā gāo xìng jí le dà shēng de hū huàn
　　"真好看！"小青蛙高兴极了，大声地呼唤

tā de xiōng dì jiě mèi　　guā guā　　dà jiā kuài lái kàn　　hé yè shang
他的兄弟姐妹，"呱呱，大家快来看，荷叶上

yǒu měi lì de zhēn zhū ne
有美丽的珍珠呢！"

　　　　chí táng zhōu wéi de xiǎo qīng wā tīng dào hǎn shēng
　　池塘周围的小青蛙听到喊声，

dōu gǎn le guò lái　　dà jiā dōu tiào shàng hé yè
都赶了过来。大家都跳上荷叶，

zhēng zhe kàn zhè kē shén qí de zhēn zhū　píng
争着看这颗神奇的珍珠，平

jìng de chí táng dùn shí rè nao qǐ lái
静的池塘顿时热闹起来。

妈妈的话 只要我们有一双善于发现的
眼睛，就会发现生活中处处充满了美。

107

长颈鹿的围巾

chángjǐng lù kě kě fēi cháng shàn liáng měi cì xiǎo dòng
长颈鹿可可非常善良，每次小动

wù yù dào kùn nan shí tā zǒng huì dì yī shí jiān chōng shàng
物遇到困难时，他总会第一时间冲上

qù bāng máng
去帮忙。

bù guò zhè huí lún dào kě kě xū yào bié ren bāng
不过，这回轮到可可需要别人帮

máng le zuó tiān xià le yī cháng bào yǔ kě
忙了。昨天下了一场暴雨，可

kě zhǎo bù dào dì fang bì yǔ hún shēn dōu
可找不到地方避雨，浑身都

shī tòu le huí dào jiā hòu bù jiǔ jiù
湿透了，回到家后不久就

生病了。他的喉咙痛得厉害，连话都说不出来。

胖熊医生说："你最好在脖子上围一条暖和的长围巾，这样很快就会好起来的。"

可是，哪里有这么长的围巾卖呢？

还是纺织鸟们有办法。他们一起动手给可可编织了一条长围巾，麻雀们也衔了许多小红花来给围巾装饰。可可围上这条又温暖又漂亮的长围巾，高兴极了，他的病一天天好起来了。

妈妈的话 如果你帮助了别人，别人也会在你需要的时候帮助你。

运货物

一个商人牵着一匹马和一头驴外出运货物。回来时，他把所有货物都放在驴背上。

驴喘着粗气对马说："马大哥，帮我分担一点吧，背上的货物实在太重，我快不行了。"

马无情地说："你背不动，关我什么

事！"驴叹了口气，只能独自背着货物，艰难地走着。

两天后，他们还没回到家，驴已经筋疲力尽，倒在了地上。主人便把所有货物，都放在了马背上。

马被沉重的货物压得喘不过气来，心里非常后悔：都是因为我不肯为驴分担一点负担，最后还是得驮上全部的货物！

妈妈的话 如果相互帮助，我们就能共同战胜困难！

111

爱吃桃子的狐狸

狐狸喜欢吃桃子，就在一棵桃树旁建了一座房子。春天，桃树开出了漂亮的花。

这天大风来了，桃树喊："狐狸，快给我挡风，不然花要掉光了。"

狐狸摇着头说："我喜欢吃的是桃子，又不是桃花。"

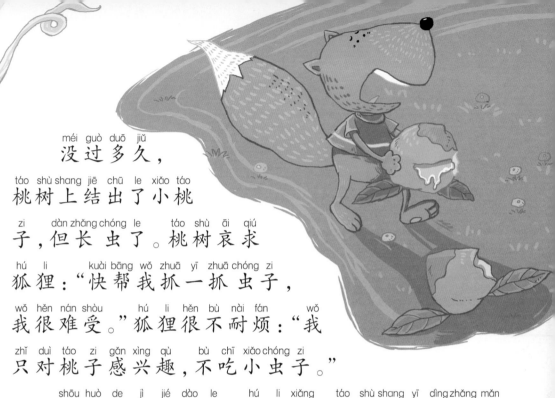

méi guò duō jiǔ
没过多久，

táo shù shang jiē chū le xiǎo táo
桃树上结出了小桃

zi dàn zhǎng chóng le táo shù āi qiú
子，但长虫了。桃树哀求

hú li kuài bāng wǒ zhuā yī zhuā chóng zi
狐狸："快帮我抓一抓虫子，

wǒ hěn nán shòu hú li hěn bù nài fán wǒ
我很难受。"狐狸很不耐烦："我

zhǐ duì táo zi gǎn xìng qù bù chī xiǎo chóng zi
只对桃子感兴趣，不吃小虫子。"

shōu huò de jì jié dào le hú li xiǎng táo shù shang yī dìng zhǎng mǎn
收获的季节到了，狐狸想：桃树上一定长满

le yòu dà yòu tián de táo zi tā dào táo shù xià yī kàn yè zi shì huáng
了又大又甜的桃子！他到桃树下一看，叶子是黄

de táo zi dōu làn le hú li pěng zhe làn táo zi qì fèn jí le zǎo
的，桃子都烂了。狐狸捧着烂桃子，气愤极了："早

zhī dào huì zhè yàng wǒ jiù bù zài zhè lǐ jiàn fáng zi le
知道会这样，我就不在这里建房子了。"

妈妈的话 甘甜的果实要经过辛勤劳动才能获得哦。

夜莺唱歌

一个捕鸟人在森林里捉了几只夜莺，把他们关进了鸟笼，让他们唱歌给自己听。

夜莺们失去了自由，都很沮丧，唱得不像在森林里那么起劲。

其中一只夜莺想：猎人喜欢听我们唱歌，如果我用歌声讨好他，说不定他会把我放掉。

想到这里，她便开始用心歌唱，唱得比以往

rèn hé shí hou dōu hǎo tīng
任何时候都好听。

guò le jǐ tiān liè rén dǎ
过了几天，猎人打

kāi lóng zi fàng zǒu le qí tā yè yīng
开笼子，放走了其他夜莺，

zhǐ liú xià zhè zhī chàng de zuì dòng tīng de
只留下这只唱得最动听的

yè yīng tā xiào zhe duì zhè zhī yè yīng shuō
夜莺，他笑着对这只夜莺说：

nǐ chàng de zuì dòng tīng wǒ jiù bǎ nǐ liú
"你唱得最动听，我就把你留

xià ba
下吧！"

妈妈的话 遇到任何事情，都要开动脑
筋，找到正确的解决方法。

115

鸽子兄弟

从前，有对鸽子兄弟住在森林里，过着安逸的生活。

这天，弟弟不再喜欢这种平淡的生活，想去外面找点事情做。哥哥劝他："我们在一起生活得好好儿的，你干吗非要出去受苦呢？"

但弟弟已经下了决心。哥哥依依不舍地看着他离开了家。

鸽子弟弟找到了一份信差的工作，做得很认真。不管刮风下雨，还是烈日炎炎，他都能准时把信送到目的地。有时遇到危险，他也能机智地应对。不久，他就成为了著名的信鸽，得到了很多荣誉和奖牌。

而他的哥哥，由于生活得太舒适了，而且不喜欢运动，变得越来越胖，都快飞不起来了。

妈妈的话 通过自己辛勤的劳动取得收获，这样的生活才是最有意义的。

117

小负鼠 的信心

负鼠生下来就能把尾巴缠在树枝上倒挂着睡觉。然而，小负鼠当当却不敢这样做。

妹妹红红送给当当一个小瓶子，说："哥哥，这里面是树胶，你把它涂在尾巴上，就能牢牢粘在树枝上啦！"当当涂了一点，然后试着倒挂在树上，嘿，真的挂得

hěn láo ne
很牢呢！

guò le xiē rì zi shù jiāo kuài yòng wán le dāng dāng dào guà zài shù
过了些日子，树胶快用完了。当当倒挂在树

zhī shang duì mèi mei hǎn dào hóng hóng shù jiāo zhǐ shèng yī diǎnr le nǐ
枝上，对妹妹喊道："红红，树胶只剩一点儿了，你

néng zài gěi wǒ yī píng ma
能再给我一瓶吗？"

hóng hóng tiáo pí de shuō qí shí nà píng zi
红红调皮地说："其实那瓶子

li zhuāng de shì lù shui nǐ shì kào zì jǐ de
里装的是露水。你是靠自己的

běn lǐng dào guà zài shù shang de ya
本领倒挂在树上的呀。"

dāng dāng tū rán huāng le pà zì jǐ huì diào
当当突然慌了，怕自己会掉

xià lái dàn wěi ba chán de kě láo gù ne
下来，但尾巴缠得可牢固呢！

妈妈的话 自信是把事情做好的一个
重要条件哦。

119

爱模仿的小象

yǒu yī tóu xiǎo xiàng zǒng ài hú sī luàn xiǎng yǒu yī tiān tā
有一头小象，总爱胡思乱想。有一天，他

hū rán jué de zì jǐ zuò yī tóu shī zi yī dìng hěn wēi fēng yú shì
忽然觉得自己做一头狮子一定很威风。于是，

tā dài shàng le jiǎ fà xué shī zi nà yàng páo xiào qǐ lái zhè shí
他戴上了假发，学狮子那样咆哮起来。这时，

yī zhī líng yáng kàn dào xiǎo xiàng de yàng zi
一只羚羊看到小象的样子，

xià de zhuǎn shēn jiù pǎo
吓得转身就跑。

xiǎo xiàng kàn dào líng yáng pǎo de yòu
小象看到羚羊跑得又

kuài yòu qīng yíng yòu xiǎng mó
快又轻盈，又想模

fǎng líng yáng kě
仿羚羊。可

120

是，他的身体太笨重，怎么也跑不快。

过了一会儿，小象看见一只鹦鹉在空中飞，就说："我要飞起来！"

那只调皮的鹦鹉听到了，停下来，指着不远处的悬崖说："你从那儿往下跳，就能飞起来啦！"小象听了，飞快地跑到悬崖边，想也不想就跳了下去。

幸好，悬崖下面是个池塘，小象并没有受伤，只是摔得满身泥水，非常狼狈。

妈妈的话 做事情要从自己的条件和能力出发，可不能盲目地模仿别人哦。

骄傲的船

yǒu yī zhī dà mù chuán shàng miàn lì zhe yī gēn
有一只大木船，上面立着一根

gāo gāo de wéi gān wéi gān shang guà zhe yī zhāng chuán fān
高高的桅杆，桅杆上挂着一张船帆。

mù chuán wéi gān chuán fān tā men yī qǐ chōng guò
木船、桅杆、船帆，他们一起冲过

fēng làng fēi kuài de xiàng qián xíng shǐ zhe
风浪，飞快地向前行驶着。

hé liǎng àn de rén kàn jiàn le dōu kuā jiǎng dào
河两岸的人看见了，都夸奖道：

duō kuài de chuán a
"多快的船啊！"

船听了就得意起来，对帆说："你听，人们正在夸我呢！"帆很不服气："要不是因为有我，你能跑这么快吗？"桅杆站得高，看得远，他提醒船和帆："都别吵了，小心前面的礁石！"

船和帆听了很不高兴，齐声对桅杆说："我看你一点用处也没有！"

桅杆生气地离开了船和帆。

没有了桅杆，帆飘到了沙滩上，船不能前进了。一个大浪打来，船撞在礁石上，碎了。

妈妈的话 每个人都有自己的长处和优点，大家只有齐心协力，才能把事情做好。

小鸡 学 飞 翔

很久以前，小鹰和小鸡都有一对强健而有力的翅膀，他们一起去学飞翔。有一次，他们都飞到了大树上。突然，一阵大风吹来，小鹰和小鸡掉了下来。小鹰摔伤了翅膀，小鸡摔伤了腿。

小鹰养好伤后，又来找小鸡一起学飞翔。小鸡吓得脸色都变了："我的腿还疼着呢！还要再休

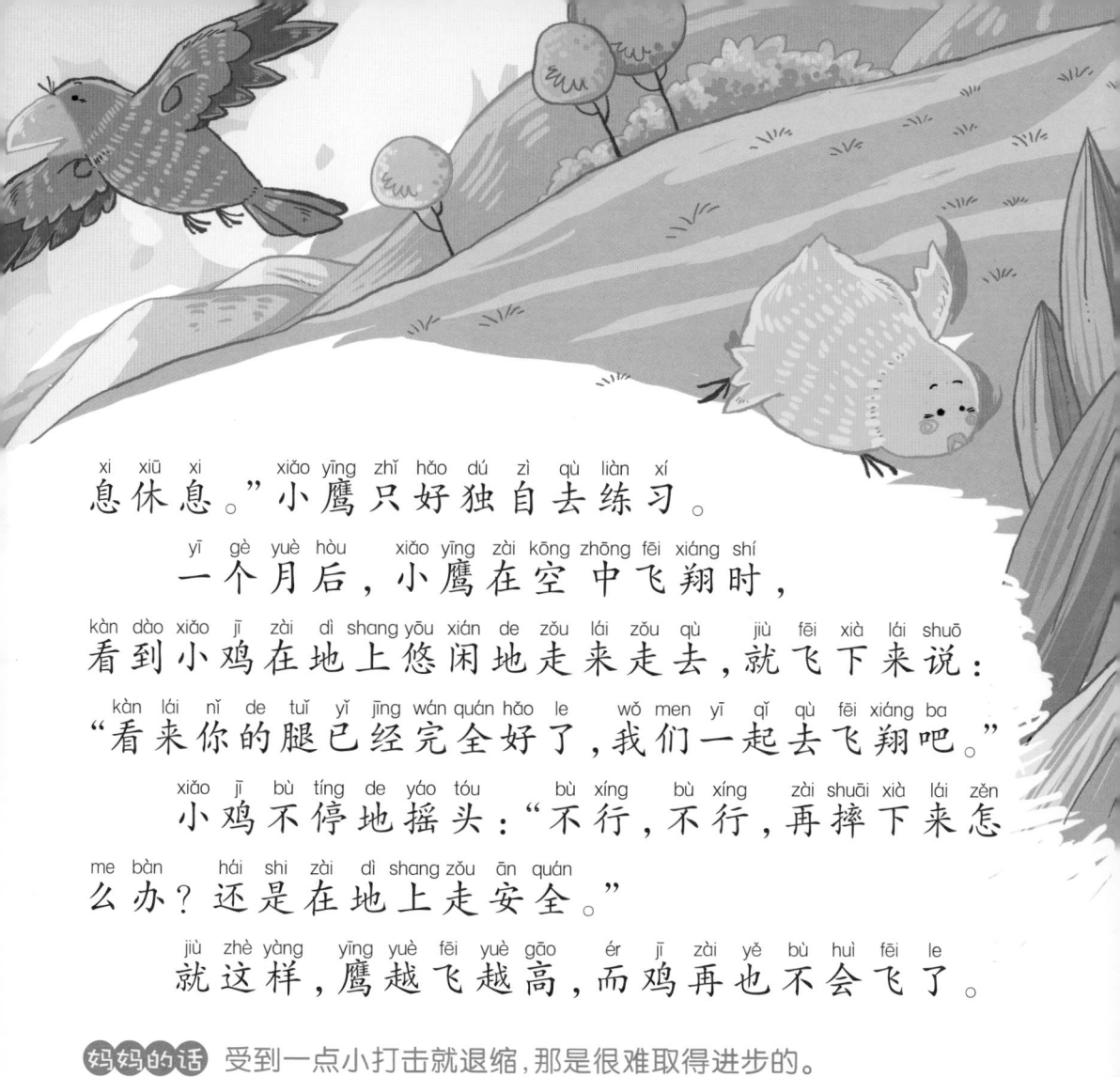

息休息。"小鹰只好独自去练习。

一个月后，小鹰在空中飞翔时，

看到小鸡在地上悠闲地走来走去，就飞下来说：

"看来你的腿已经完全好了，我们一起去飞翔吧。"

小鸡不停地摇头："不行，不行，再摔下来怎

么办？还是在地上走安全。"

就这样，鹰越飞越高，而鸡再也不会飞了。

妈妈的话 受到一点小打击就退缩，那是很难取得进步的。

图书在版编目（CIP）数据

睡前小道理／幼狮文化著.
—杭州：浙江少年儿童出版社，2012.1(2012.5重印)
（好宝宝睡前分享）
ISBN 978-7-5342-6742-0
I.①睡… II.①幼… III.①故事课－学前教育－
教学参考资料 IV.①G613.3
中国版本图书馆CIP数据核字（2011）第241097号

好宝宝睡前分享

睡前小道理

编著／幼狮文化
插图／肖猷洪工作室
责任编辑／吴珩　卢昀
美术编辑／楼迎春
责任印刷／林百乐
浙江少年儿童出版社出版发行
杭州市天目山路40号　310013
深圳市福威智印刷有限公司印刷
全国各地新华书店经销

开本／787×1092　1/24
印张／5.5
印数／30206-38230
2012年1月第1版
2012年5月第3次印刷
ISBN 978-7-5342-6742-0
定价／13.80元
服务热线／020-38312206
幼狮网址／yosbook.taobao.com